Nom d'un bourdon!
PARTAGER?
PAS QUESTION!

**Par Nikki Grimes / Illustrations : Sue DiCicco
Traduction : Le Groupe Syntagme inc.**

Les presses d'or

©1998 Disney Enterprises, Inc. Tous droits réservés.
Aucune partie de ce livre ne peut être reproduite ou copiée sous quelque forme
que ce soit sans l'autorisation écrite du propriétaire du copyright.
Imprimé au Canada. ISBN : 1-552250-58-X. Dépôt légal : 2e trimestre 1998.
Bibliothèque nationale du Québec
Bibliothèque nationale du Canada

« L'automne est ma saison préférée », se dit Coco Lapin tout en travaillant dans son jardin par un beau et frais matin. Autour de lui, les arbres ont revêtu de belles couleurs dorées et orangées. Il pourra bientôt cueillir ses derniers légumes.

« Ce sera ma meilleure récolte » pense-t-il.

Un peu plus loin dans la forêt des cent acres,
Winnie l'Ourson visite son arbre à miel préféré.
Mais les abeilles ne sont pas enchantées de le voir.
« *Bzzzzz-bzzzzz. Bzzzzz-bzzzzz* », bourdonnent-elles.
« Qu'est-ce-que vous dites? » demande Winnie.
« *Bzzzzz-bzzzzz. BZZZZZ!* » répondent les abeilles,
en tournoyant autour de sa tête.

Winnie se sauve en courant. Lorsque les abeilles cessent
de le pourchasser, il s'arrête pour reprendre son souffle.
Mais il a vraiment le ventre creux.

« Nom d'un bourdon! s'exclame-t-il. « Mon bedon est aussi
vide que mon pot de miel. Il faut vite trouver à manger. »

Il arrive bientôt au jardin de Coco Lapin. « Bonjour, lui lance
Winnie. Comment va ton jardin aujourd'hui? »

« J'ai des épinards succulents et de savoureuses laitues, se
vante Coco Lapin. Là-bas, de splendides haricots verts et
d'énormes carottes. Et plus loin, mes poivrons si réputés et mon
magnifique brocoli. »

« Tout a l'air si délicieux, s'émerveille Winnie. Pourrais-tu
partager quelques belles carottes avec moi? »

« QUOI? PARTAGER? » s'exclame Coco Lapin. « Et pourquoi donc? »

Winnie se gratte la tête et réfléchit. « Parce que lorsqu'on partage on se sent bien, répond-il. Et plus tu partages avec les autres, plus les autres partagent avec toi. »

Coco Lapin n'en croit pas ses oreilles. « J'ai travaillé dur pour faire pousser ces légumes, dit-il à Winnie. Ce sont mes provisions pour cet hiver. Je ne peux pas les distribuer à tout venant! »

« Tu ne peux pas? » s'étonne Winnie en frottant son bedon vide avec sa patte.

« Non, je ne peux pas! réplique Coco Lapin. Tu aurais dû toi aussi te faire un jardin! »

Winnie songe à se faire un jardin, mais il est interrompu.

« *Bzzzzz-bzzzzz-BZZZZZ!* »

Les abeilles l'ont retrouvé. Cette fois, c'est Winnie qui les poursuit, espérant les convaincre de lui donner un peu de miel.

Un peu plus tard, Porcinet arrive chez Coco Lapin.

« Bonjour, Coco Lapin, dit-il. Eh! quelles magnifiques carottes. Tu en as beaucoup! »

« Oh oui! » répond Coco Lapin.

« Je... j'ai un petit problème, explique Porcinet. J'ai commencé à fabriquer des muffins aux carottes, mais je me suis rendu compte que je n'avais pas assez de carottes. Si tu m'en donnes quelques-unes, je partagerai mes succulents muffins aux carottes avec toi. »

Coco Lapin hoche la tête et clame : Porcinet, si j'ai envie de muffins aux carottes, je peux m'en faire moi-même. Désolé, mais je ne te prêterai rien. Pas aujourd'hui! »

Porcinet repart déçu. « On dirait que Coco Lapin n'est pas de bonne humeur », se dit-il.

Plus tard, Tigrou bondit dans le jardin de Coco Lapin, poussant une brouette rouge vif dans laquelle prend place Petit Gourou.

« Youpi! » s'écrie Petit Gourou.

« Arrêtez de sauter partout! Vous allez abîmer mes brocolis! hurle Coco Lapin. J'imagine que vous voulez que je partage mes légumes avec vous. »

« Pas du tout! répond Tigrou. Nous sommes venus t'offrir cette brouette. Elle pourrait t'être utile pour faire ta récolte. »

« Sautez immédiatement hors de mon jardin avant d'écraser mes concombres, rage Coco Lapin. Je ne veux rien partager du tout! »

Tandis qu'il les chasse de son jardin, Coco Lapin entend Tigrou lui crier : N'oublie pas, grandes oreilles, plus tu partages avec les autres, plus les autres partagent avec toi! »

« Balivernes », bougonne Coco Lapin.

Plus tard cette journée-là, le vent se met à souffler sur la forêt des cent acres et arrache les feuilles des arbres.

Bientôt, il fait froid, surtout dans la maison de Bourriquet.

« Brrr! Le temps se refroidit », s'exclame Maître Hibou, en visite chez Bourriquet. « Ça me rappelle quand j'étais petit et qu'une gelée précoce avait détruit toute la récolte de légumes! »

« Même les chardons? » demande Bourriquet.

« Même les chardons », répond Maître Hibou.

Bourriquet pense au jardin de son ami Coco Lapin et hoche la tête. « Oh non, j'espère que les légumes de Coco Lapin ne gèleront pas. »

« Je crois que nous devrions offrir à Coco Lapin de l'aider », propose Maître Hibou. Bourriquet accepte, même s'il n'a pas tellement envie de sortir dans le froid.

Bientôt, Maître Hibou et Bourriquet réunissent leurs amis et leur expliquent que le jardin de Coco Lapin est menacé.

« Si on ne cueille pas ses légumes ce soir, il en perdra une grande partie », dit Maître Hibou.

« Nom d'un bourdon! Que pouvons-nous faire? demande Winnie. Coco Lapin a travaillé si fort. »

« Eh bien, nous ne pouvons changer le temps, réplique Maître Hibou. Mais nous pouvons aider notre ami à tout récolter rapidement. »

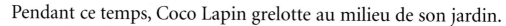

Pendant ce temps, Coco Lapin grelotte au milieu de son jardin.
« Misère, dit-il, je ne pourrai jamais cueillir tous mes beaux
légumes avant qu'ils ne gèlent. Tout ce travail pour rien! »
pleurniche-t-il.

Il ne se doute pas qu'au même instant ses amis s'activent à
réunir tout ce dont ils ont besoin pour l'aider à sauver sa récolte.

Les amis arrivent et trouvent Coco Lapin en train d'arracher
frénétiquement ses carottes. « Que venez-vous faire ici? » leur
demande-t-il.

« Tu as beaucoup travaillé dans ton jardin, répond Winnie. Nous
voulons t'aider à sauver tes légumes. »

Coco Lapin regarde avec étonnement Winnie l'Ourson utiliser ses
pots de miel vides pour recouvrir les petites laitues. Elles
seront ainsi protégées du froid et pourront continuer à grossir.

Porcinet a apporté des paniers, où les amis déposent les légumes à mesure qu'ils les cueillent.

Tigrou et Petit Gourou utilisent leur brouette pour transporter les légumes dans la maison bien chaude de Coco Lapin. Grâce aux lanternes de Maître Hibou, les amis voient bien ce qu'ils font, et les couvertures de Bourriquet les tiennent au chaud.

Tous les amis de Coco Lapin donnent temps et énergie pour l'aider à récolter ses légumes avant qu'ils ne gèlent.

Beaucoup plus tard, quand tous les légumes sont bien rangés dans la chaude cuisine de Coco Lapin, les amis s'attablent devant un chocolat chaud. Coco Lapin est si reconnaissant envers ses amis qu'il déclare : « Je vous remercie de votre aide. En retour, j'aimerais partager mes légumes avec vous. »

« Ton miel aussi? » Lui demande Winnie.

« Eh bien, euh... J'imagine que oui », répond Coco Lapin en soupirant.

Coco Lapin n'est pas encore tout à fait habitué à partager.

Mais lorsqu'il voit à quel point le miel rend Winnie heureux, il est content d'avoir accepté de le partager.

« Es-tu sûr de vouloir nous donner tous ces légumes? »
demande Winnie à Coco Lapin au moment de partir.

« Bien sûr que j'en suis sûr, répond Coco Lapin. On
s'habitue vite à partager. »

Tigrou offre sa brouette pour aider les amis à transporter leurs
cadeaux chez eux. Dans la froide nuit d'automne, ils entendent
Coco Lapin crier derrière eux : « Et rappelez-vous ce que j'ai
toujours dit : plus tu partages avec les autres, plus les autres
partagent avec toi! »